My Youth Football Playbook

Play Creator

This Playbook is the Property of Coach:

SECRET

Contents

Page	Play	Formation
12		
13		
14		
15		
16		
17		
18		
19		
20		
21		
22		
23		
24		
25		
26		
27		
28		
29		
30		
31		
32		
33		
34		
35		
36		
37		
38		
39		
40		

Page	Play	Formation
41		
42		
43		
44		
45		
46		
47		
48		
49		
50		
51		
52		
53		
54		
55		
56		
57		
58		
59		
60		
61		
62		
63		
64		
65		
66		
67		
68		
69		

Page	Play	Formation
70		
71		
72		
73		
74		
75		
76		
77		
78		
79		
80		
81		
82		
83		
84		
85		
86		
87		
88		
89		
90		
91		
92		
93		
94		
95		
96		
97		
98		

Page	Play	Formation
99		
100		
101		
102		
103		
104		
105		
106		
107		
108		
109		
110		
111		
112		
113		
114		
115		
116		
117		
118		
119		
120		
121		

Example Offensive Play Formations

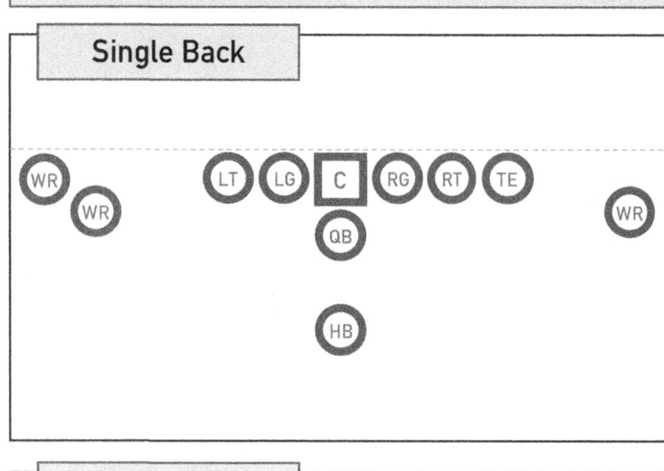

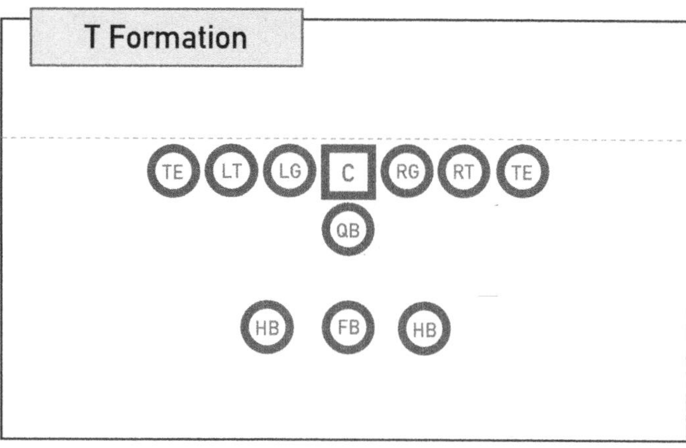

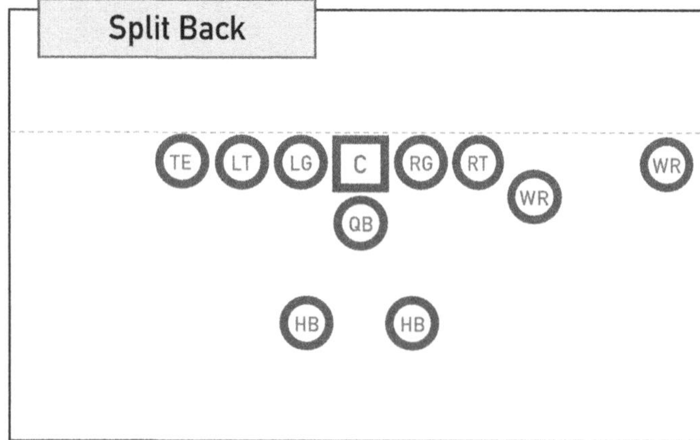

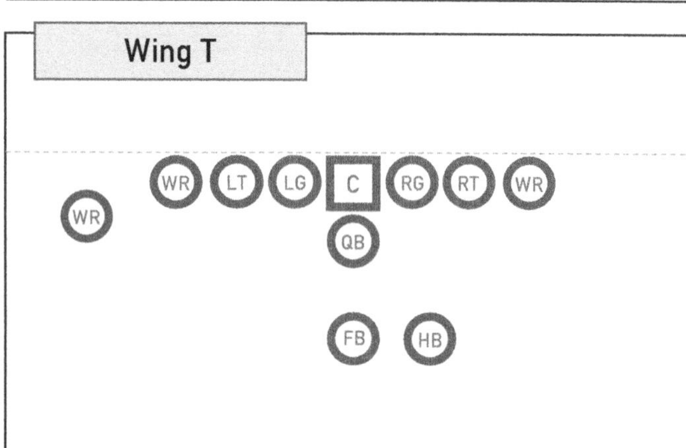

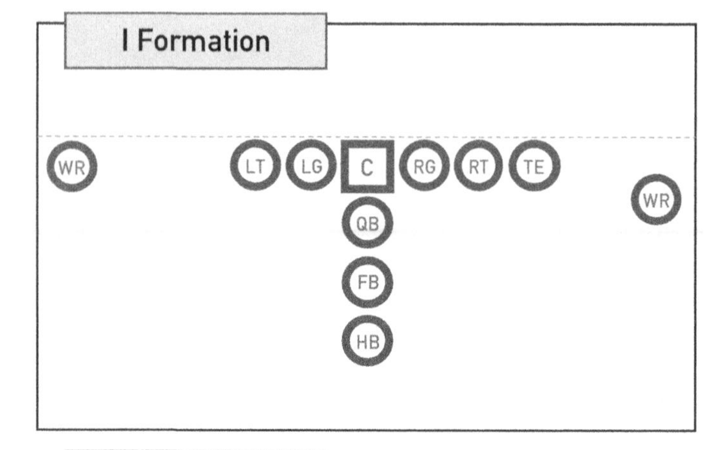

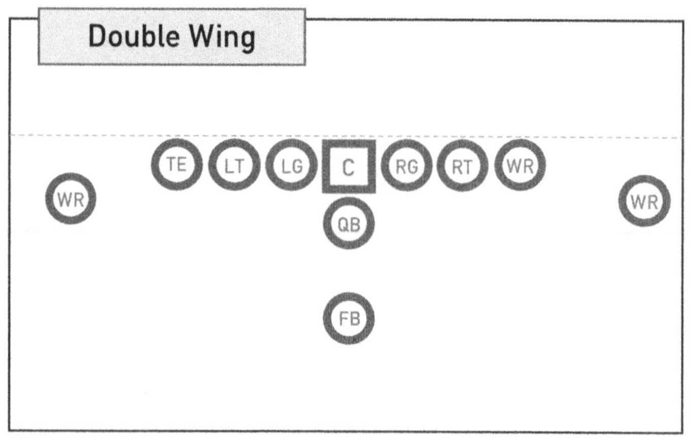

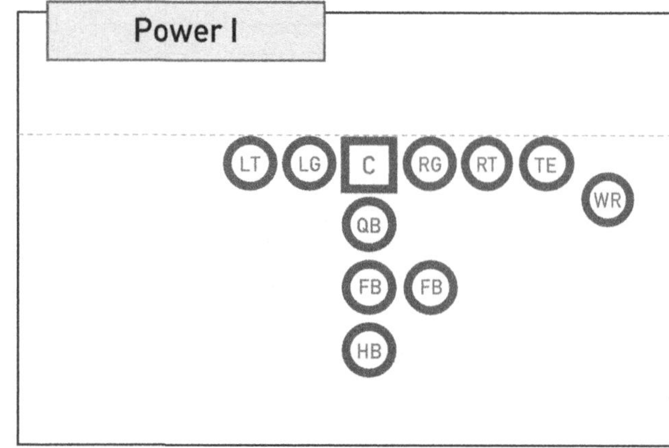

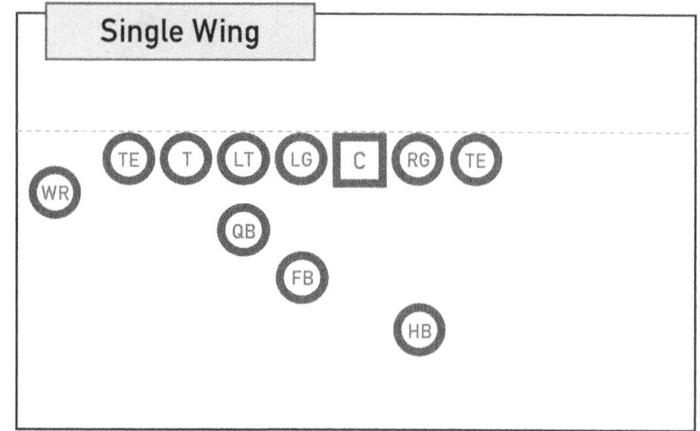

Example Offensive Play Formations

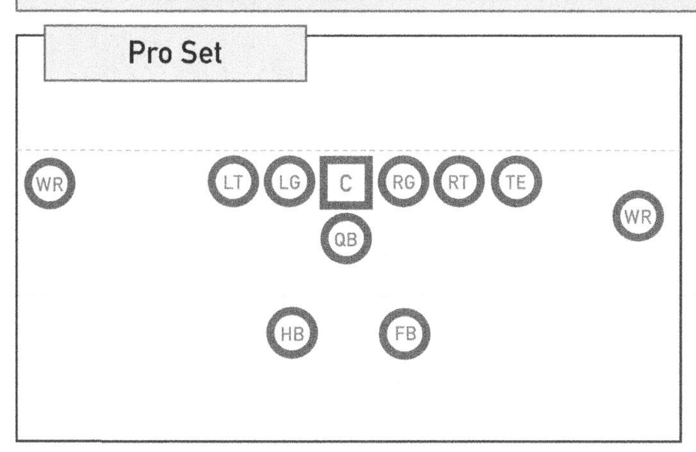

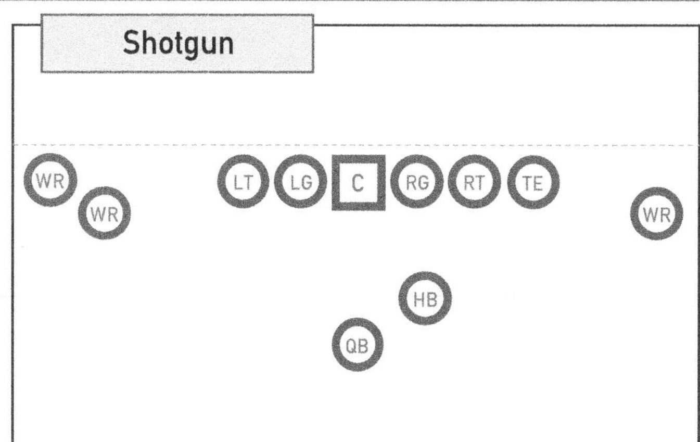

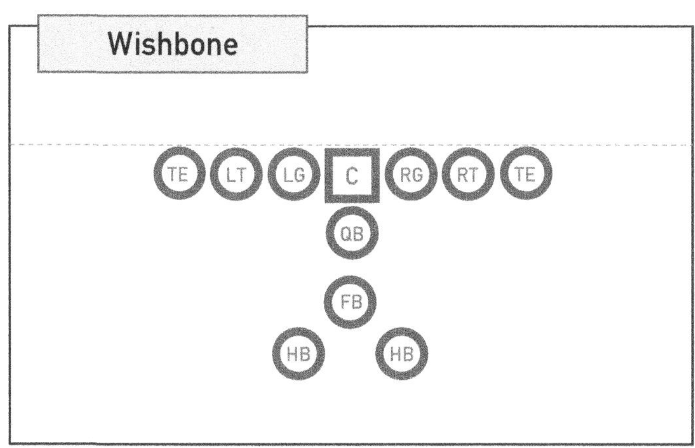

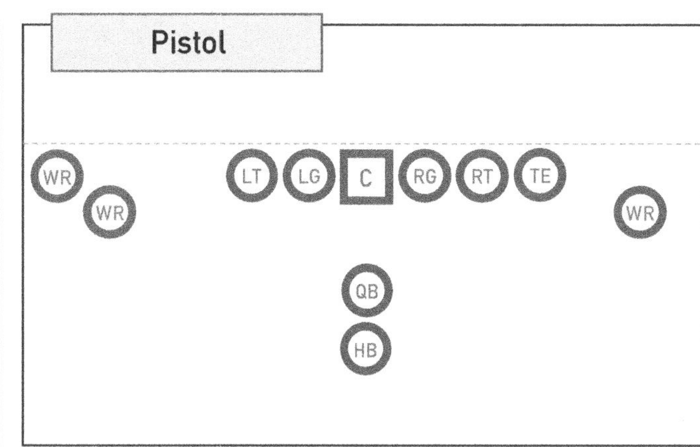

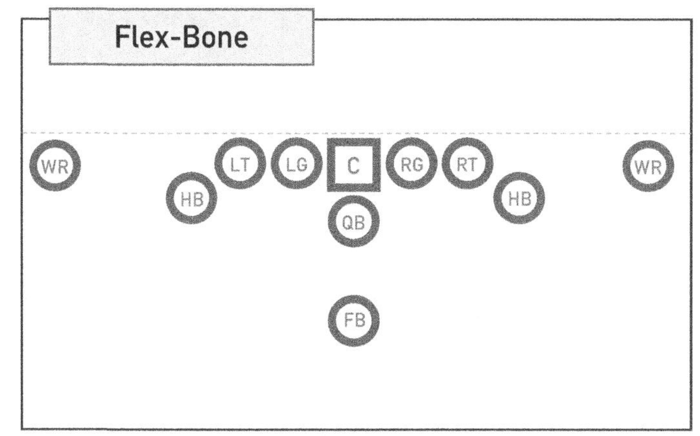

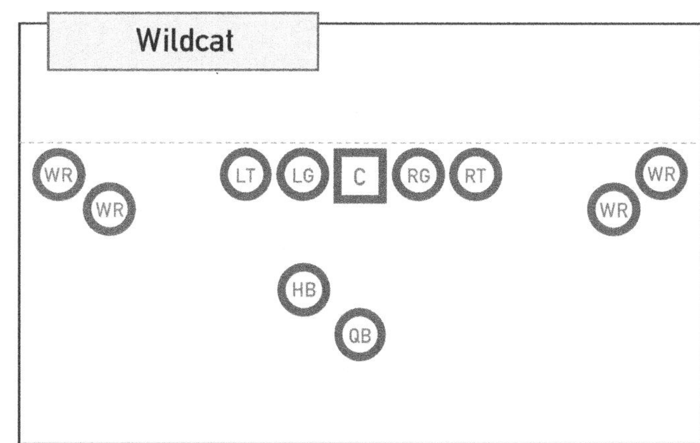

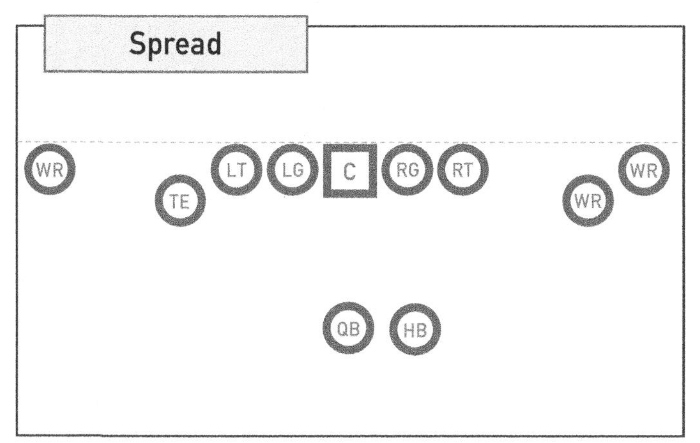

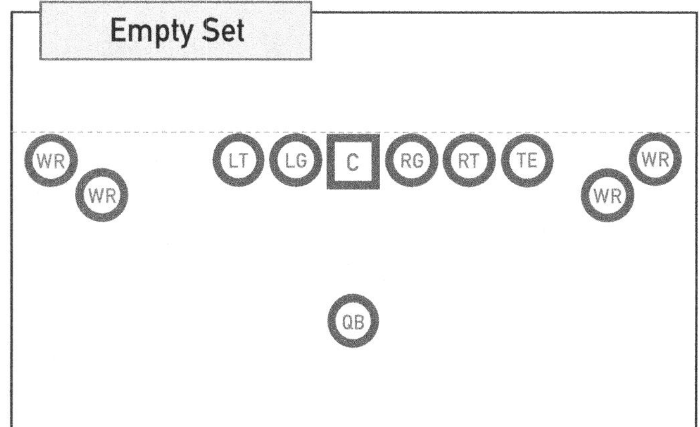

Example Run Play: I Right Toss Sweep

Example Run Play: Wishbone End-Around

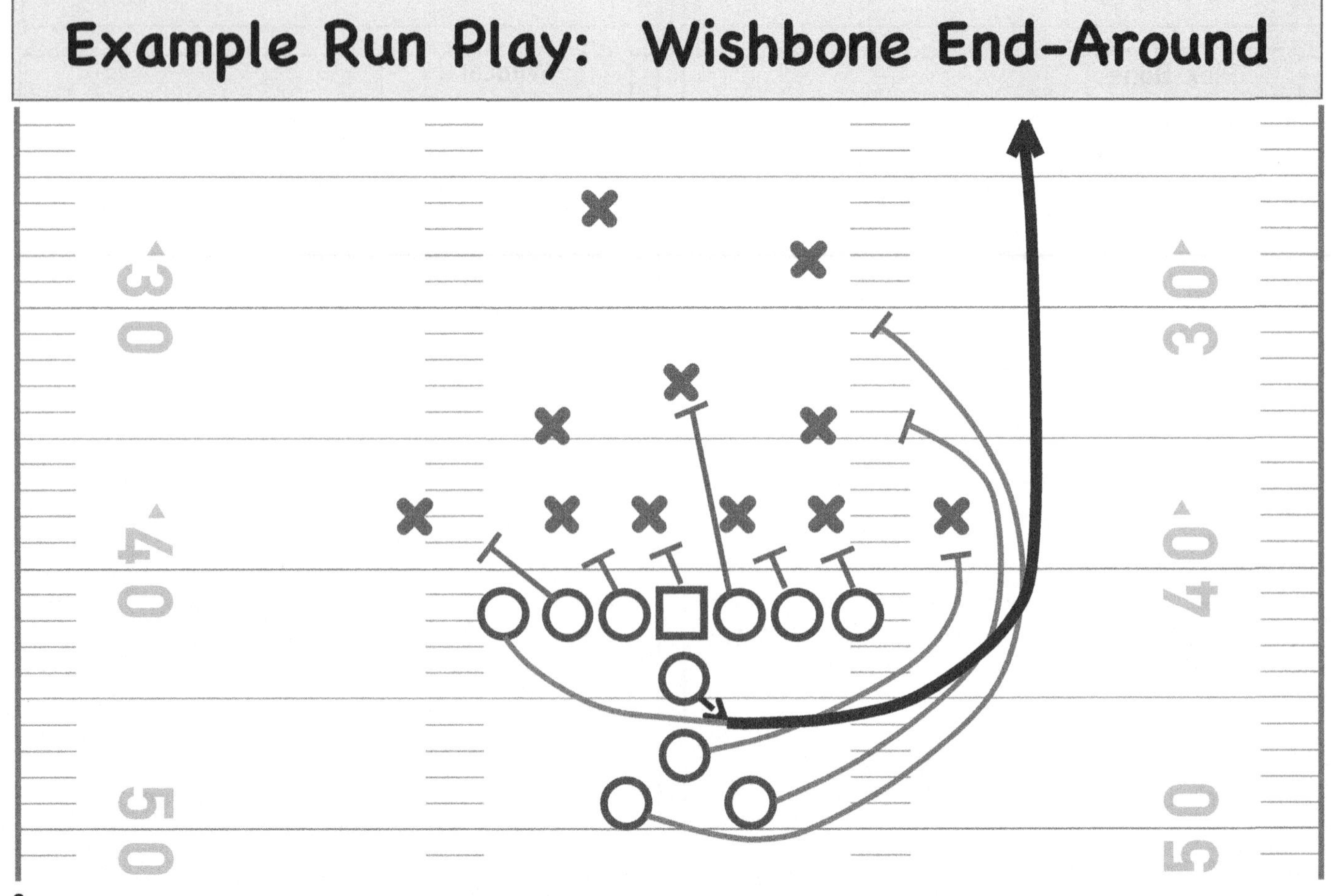

Example Run Play: I Formation Reverse

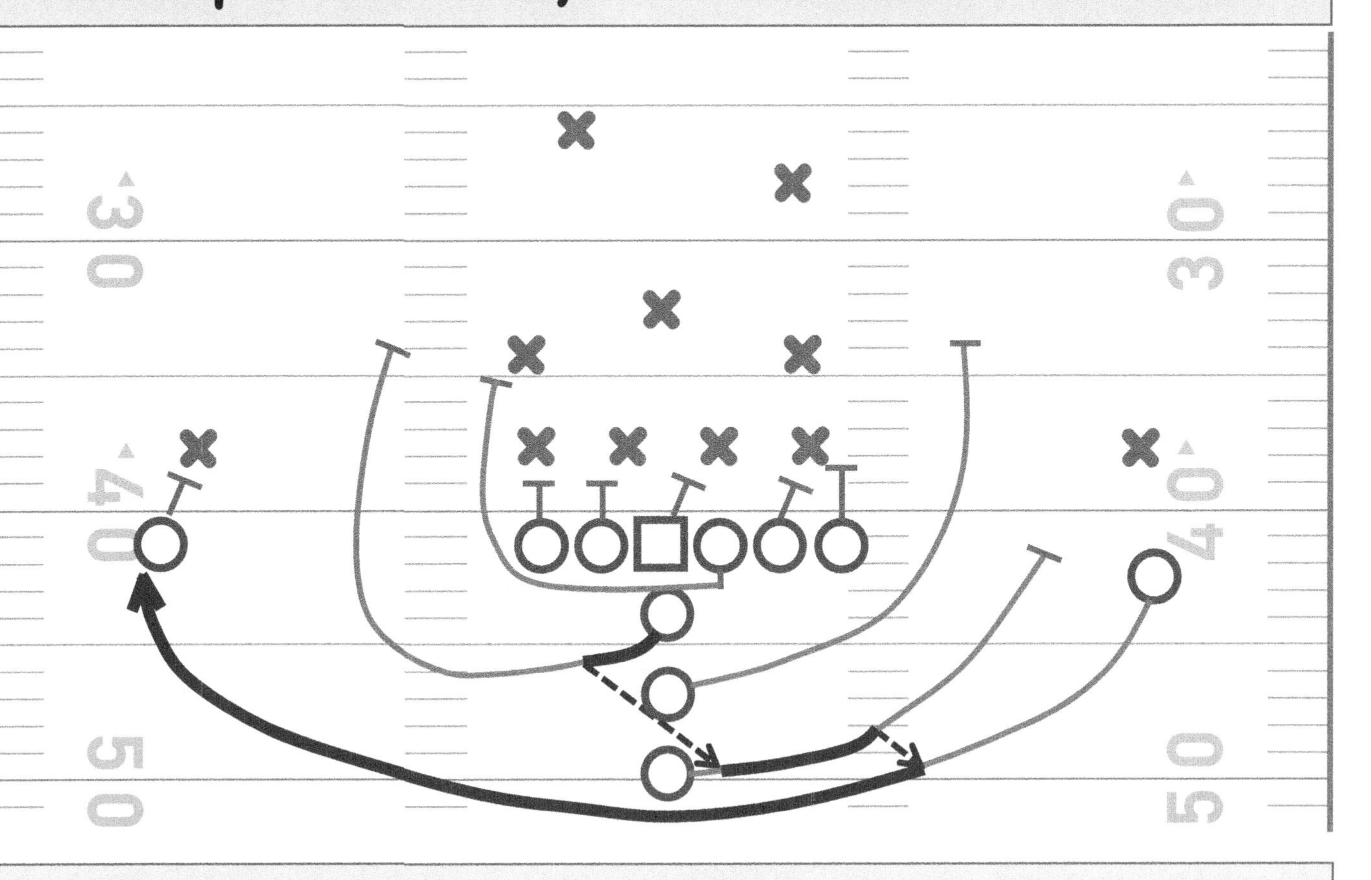

Example Run Play: Split Back 23 Dive

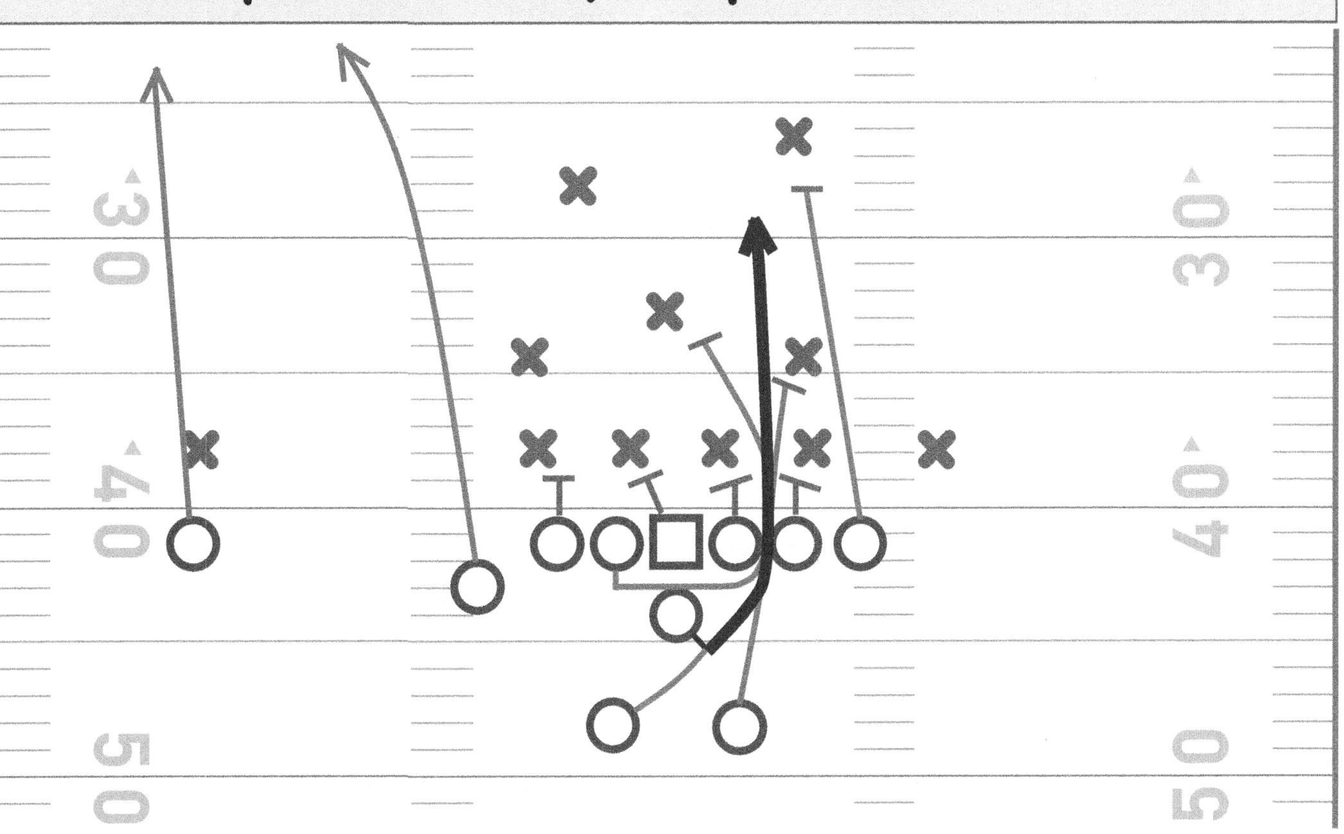

Example Pass Play: Shotgun Shallow Cross

Example Pass Play: Pro Set Boot Pass

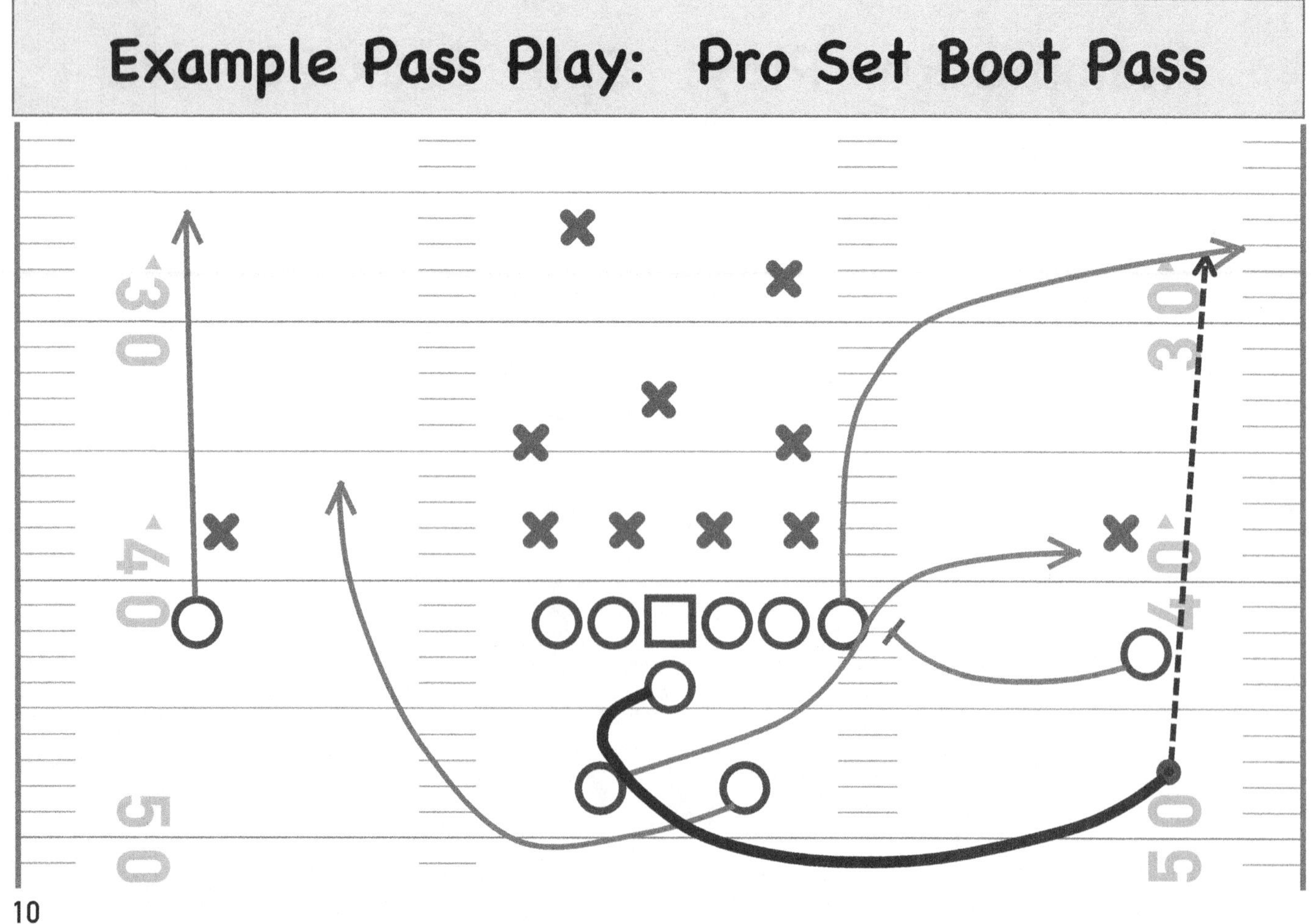

Example Pass Play: Double Wing Swing

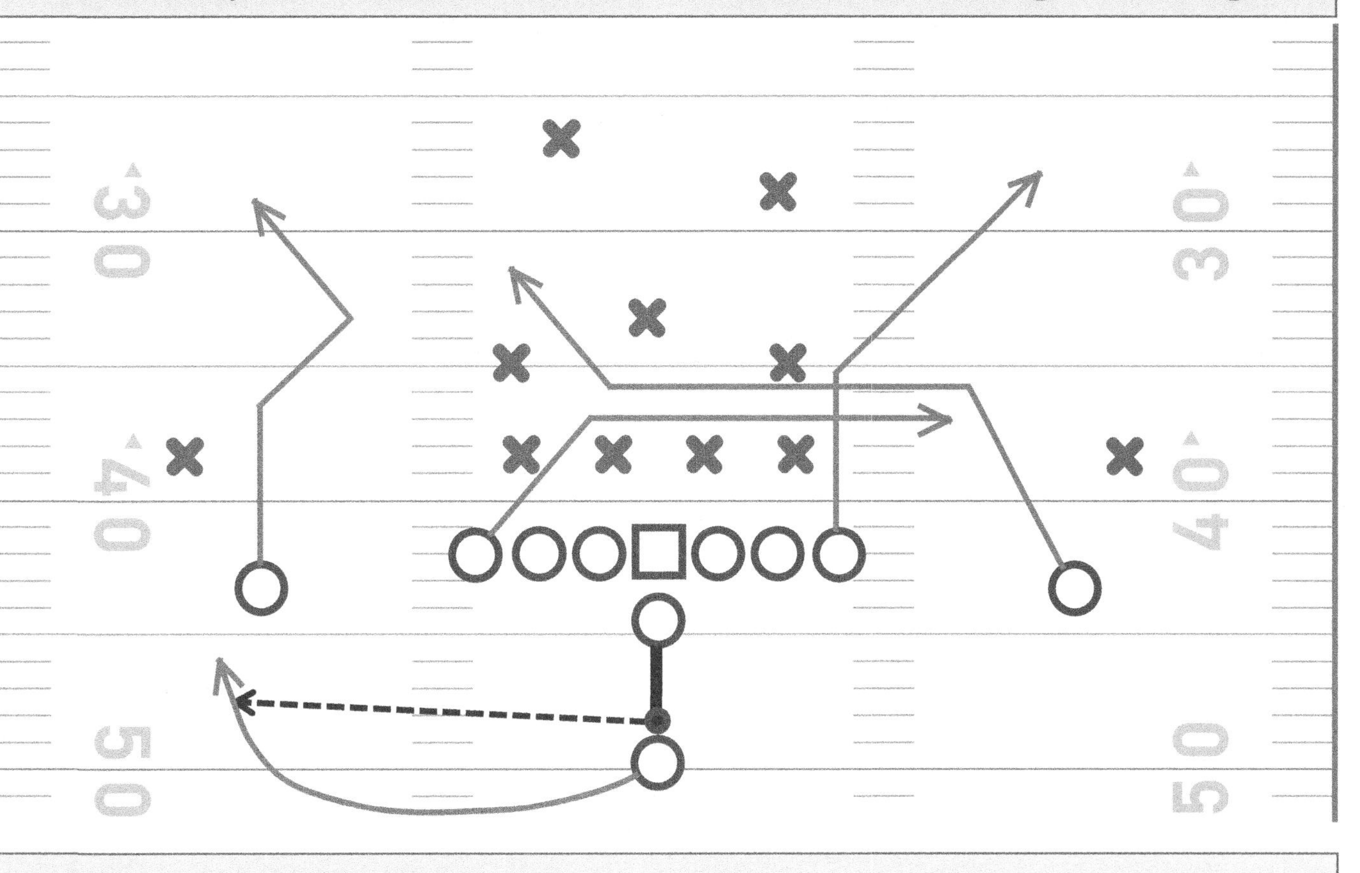

Example Pass Play: Spread Flat Slants

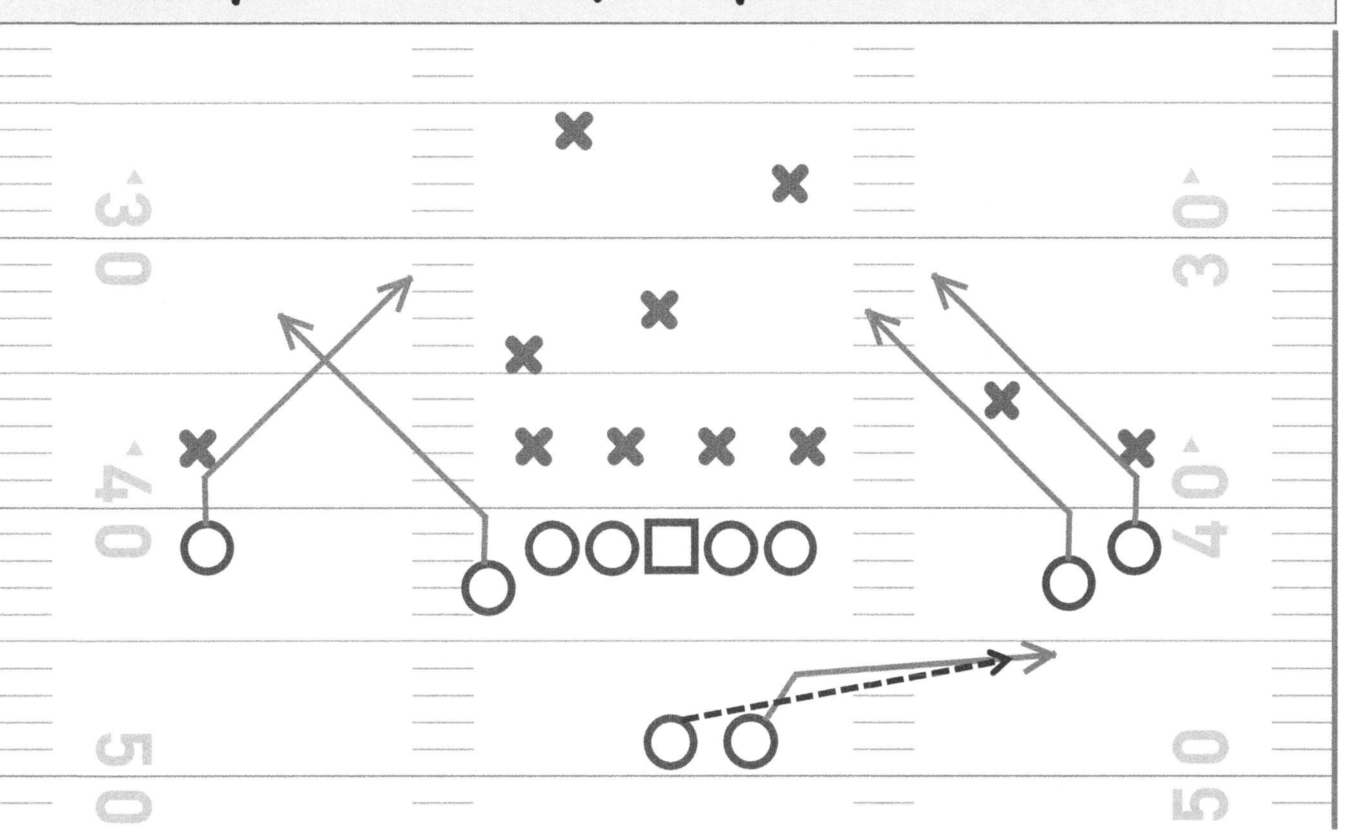

Play Name:

Notes:

Play Name:

Play Name:

Notes:

Play Name:

Play Name:

10 20 30 40 50

10 20 30 40 50

Notes:

Play Name:

Play Name:

Notes:

Play Name:

Play Name:

Notes:

Play Name:

Play Name:

Notes:

Play Name:

Play Name:

Notes:

Play Name:

Play Name:

Notes:

Play Name:

Play Name:

Notes:

Play Name:

Play Name:

Notes:

Play Name:

10 20 30 40 50 40 30 20 10

10 20 30 40 50 40 30 20 10

Play Name:

Notes:

Play Name:

Play Name:

Notes:

Play Name:

10 20 30 40 50 40 30 20 10

Play Name:

10 10 20 20 30 30 40 40 50

10 10 20 20 30 30 40 40 50

Notes:

Play Name:

Play Name:

Notes:

Play Name:

10 20 30 40 50 40 30 20 10

10 20 30 40 50 40 30 20 10

Play Name:

Notes:

Play Name:

Play Name:

10 20 30 40 50

Notes:

Play Name:

10 10
20 20
30 30
40 40
50 50
40 40
30 30
20 20
10 10

Play Name:

10 10 20 20 30 30 40 40 50 50

Notes:

Play Name:

Play Name:

10 20 30 40 50

Notes:

Play Name:

10 10
20 20
30 30
40 40
50 50
40 40
30 30
20 20
10 10

Play Name:

Notes:

Play Name:

10 20 30 40 50 40 30 20 10

10 20 30 40 50 40 30 20 10

Play Name:

Notes:

Play Name:

Play Name:

10 10 20 20 30 30 40 40 50 50

Notes:

Play Name:

10 20 30 40 50 40 30 20 10

Play Name:

Notes:

Play Name:

Play Name:

Notes:

Play Name:

Play Name:

10 10
20 20
30 30
40 40
50 50

Notes:

Play Name:

10 20 30 40 50 40 30 20 10

10 20 30 40 50 40 30 20 10

Play Name:

Notes:

Play Name:

10 10 10 10
20 20 20 20
30 30 30 30
40 40 40 40
50 50 50 50
40 40 40 40
30 30 30 30
20 20 20 20
10 10 10 10

Play Name:

Notes:

Play Name:

10 20 30 40 50 40 30 20 10

10 20 30 40 50 40 30 20 10

Play Name:

Notes:

Play Name:

Play Name:

Notes:

Play Name:

Play Name:

Notes:

Play Name:

Play Name:

10 10
20 20
30 30
40 40
50 50

Notes:

Play Name:

Play Name:

Notes:

Play Name:

Play Name:

10 10 10 10
20 20 20 20
30 30 30 30
40 40 40 40
50 50 50 50

Notes:

Play Name:

Play Name:

Notes:

Play Name:

10 20 30 40 50 40 30 20 10

10 20 30 40 50 40 30 20 10

Play Name:

Notes:

Play Name:

10 20 30 40 50 40 30 20 10

Play Name:

10 20 30 40 50

10 20 30 40 50

Notes:

Play Name:

Play Name:

10 10
20 20
30 30
40 40
50 50

Notes:

Play Name:

Play Name:

Notes:

Play Name:

Play Name:

10 10
20 20
30 30
40 40
50 50

Notes:

Play Name:

Play Name:

10 10 20 20 30 30 40 40 50

10 10 20 20 30 30 40 40 50

Notes:

Play Name:

Play Name:

10 10
20 20
30 30
40 40
50 50

Notes:

Play Name:

Play Name:

Notes:

Play Name:

Play Name:

10 10 20 20 30 30 40 40 50 50

Notes:

Play Name:

Play Name:

10 10
20 20
30 30
40 40
50 50

Notes:

Play Name:

Play Name:

Notes:

Play Name:

Play Name:

10 10 20 20 30 30 40 40 50 50

Notes:

Play Name:

Play Name:

Notes:

Play Name:

Play Name:

10 10 10 10
20 20 20 20
30 30 30 30
40 40 40 40
50 50 50 50

Notes:

Play Name:

Play Name:

Notes:

Play Name:

Play Name:

10
10
20
20
30
30
40
40
50
50
10
10
20
20
30
30
40
40
50
50

Notes:

Play Name:

Play Name:

10 10 20 20 30 30 40 40 50 50

Notes:

Play Name:

Play Name:

Notes:

Play Name:

Play Name:

Notes:

Play Name:

Play Name:

10 10 20 20 30 30 40 40 50 50

Notes:

Play Name:

10 20 30 40 50 40 30 20 10

Play Name:

10 10
20 20
30 30
40 40
50 50

Notes:

Play Name:

Play Name:

Notes:

Name:

Notes: